HA
HA
CNEC!

ble mae'r jôcs?

Mae'r llyfr Diwrnod y Llyfr 2021
hwn yn rhodd gan eich
llyfrwerthwr lleol
a Llyfrau Broga

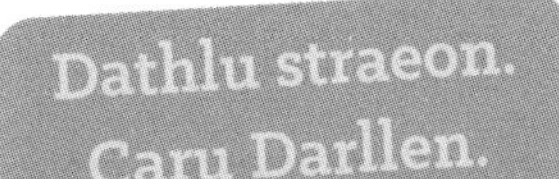

Mae'r llyfr hwn wedi cael ei greu a'i gyhoeddi'n arbennig i ddathlu Diwrnod y Llyfr. Elusen sy'n cael ei hariannu gan gyhoeddwyr a llyfrwerthwyr yn y DU ac Iwerddon yw Diwrnod y Llyfr. Cyngor Llyfrau Cymru sydd yn arwain yr ymgyrch yng Nghymru trwy gefnogaeth Llywodraeth Cymru a Waterstones. Ein cenhadaeth, drwy gynnig llyfr, yw rhoi cyfle i bob plentyn a pherson ifanc ddarllen llyfrau a gwirioni arnynt. I gael mwy o wybodaeth, llawer o weithgareddau hwyliog ac argymhellion i'ch helpu i ddarllen, ewch i **worldbookday.com**, neu am adnoddau yn y Gymraeg ewch i **darllencymru.org.uk**

Mae cynnal Diwrnod y Llyfr yn y DU ac Iwerddon hefyd yn bosibl yn sgil nawdd hael Tocynnau Llyfr Cenedlaethol (National Book Tokens) a chefnogaeth gan awduron a darlunwyr.

Mae Diwrnod y Llyfr yn gweithio mewn partneriaeth â nifer o elusennau, sydd i gyd yn cydweithio i annog cariad at ddarllen er mwyn pleser.

Mae'r Ymddiriedolaeth Llythrennedd Genedlaethol yn elusen annibynnol sy'n annog plant a phobl ifanc i fwynhau darllen. Gall dim ond 10 munud o ddarllen bob dydd wneud gwahaniaeth mawr i'ch llwyddiant yn yr ysgol ac i'ch llwyddiant mewn bywyd yn gyffredinol. **literacytrust.org.uk**

Mae'r Reading Agency yn ysbrydoli pobl o bob oed a chefndir i ddarllen er mwyn pleser. Maent yn cynnal Sialens Ddarllen yr Haf mewn partneriaeth â llyfrgelloedd a Chyngor Llyfrau Cymru; maent hefyd yn cefnogi grwpiau darllen mewn ysgolion a llyfrgelloedd drwy gydol y flwyddyn. Dysgwch fwy ac ymunwch â'ch llyfrgell leol. **summerreadingchallenge.org.uk**

BookTrust yw elusen ddarllen plant fwyaf y DU. Bob blwyddyn rydym yn darparu llyfrau, adnoddau a chymorth i 3,400,000 o blant ledled y DU er mwyn eu hannog i ddatblygu cariad at ddarllen. **booktrust.org.uk**

Mae Diwrnod y Llyfr hefyd yn hwyluso codi arian ar gyfer:

Book Aid International – elusen ryngwladol ar gyfer rhoi llyfrau a datblygu llyfrgelloedd. Bob blwyddyn, maent yn darparu miliwn o lyfrau i lyfrgelloedd ac ysgolion mewn cymunedau lle na fyddai plant fel arall yn cael llawer o gyfle i ddarllen. **bookaid.org**

Read for Good – elusen sy'n ysgogi plant mewn ysgolion i ddarllen er mwyn pleser drwy gyfrwng ei hymgyrch ddarllen noddedig. Mae'r arian a godir yn darparu llyfrau newydd a storïwyr preswyl ym mhob un o ysbytai plant y DU. **readforgood.org**

NODDIR GAN / SPONSORED BY

DARLUNIAU / ILLUSTRATION Rob Biddulph

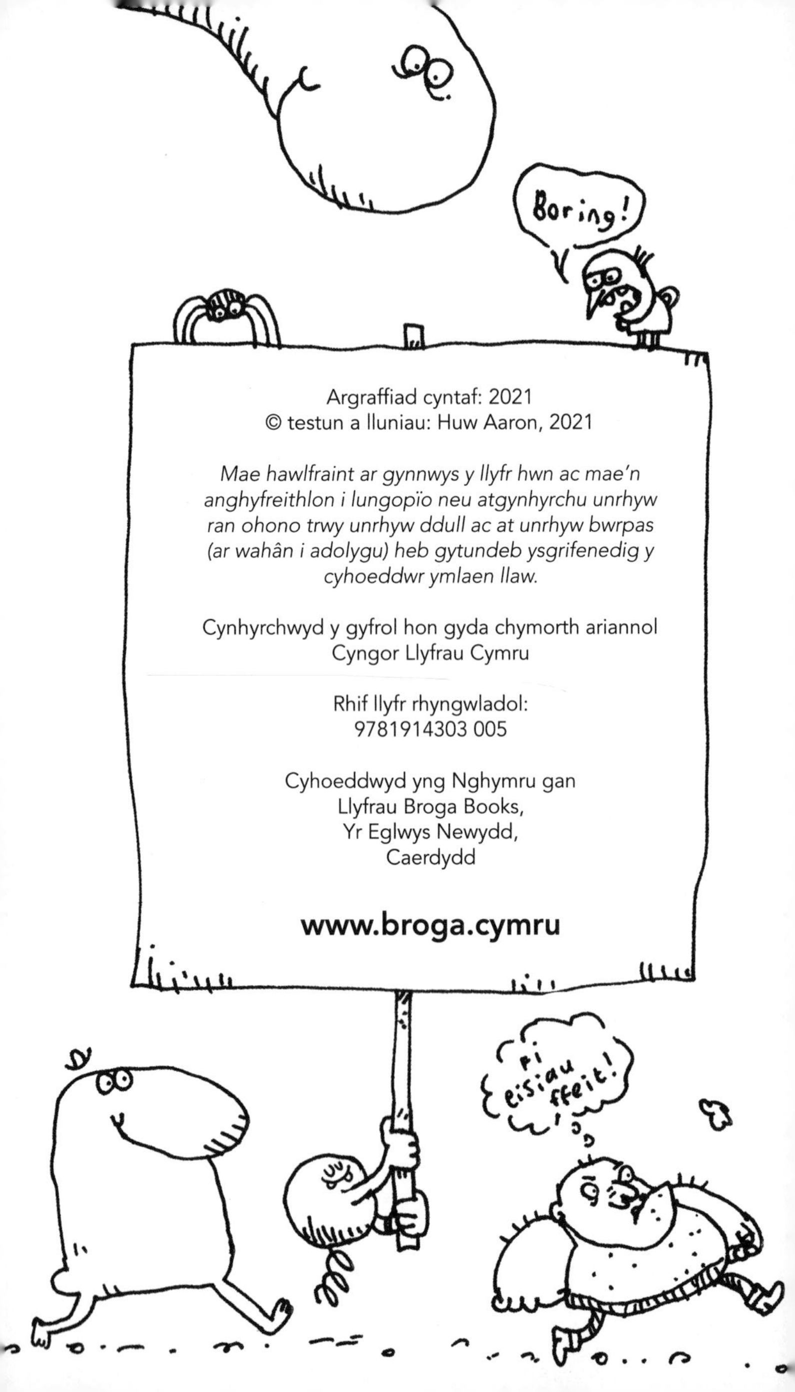

Argraffiad cyntaf: 2021

Cynhyrchwyd y gyfrol hon gyda chymorth ariannol Cyngor Llyfrau Cymru

Rhif llyfr rhyngwladol:
9781914303 005

Cyhoeddwyd yng Nghymru gan
Llyfrau Broga Books,
Yr Eglwys Newydd,
Caerdydd

www.broga.cymru

Ha ha haaa!
HA HA CNEC!
GAN
HUW AARON
w!

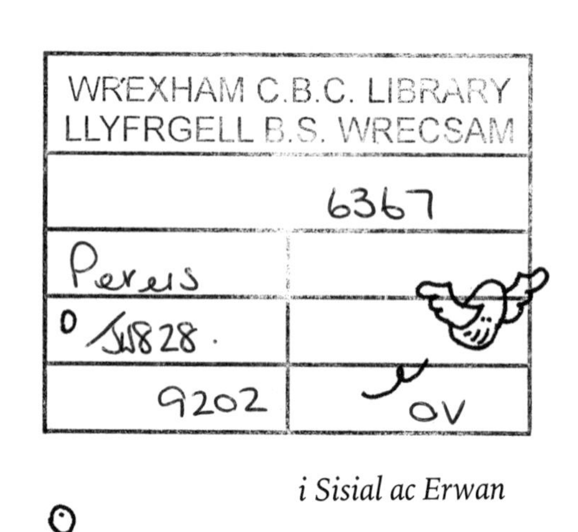

i Sisial ac Erwan

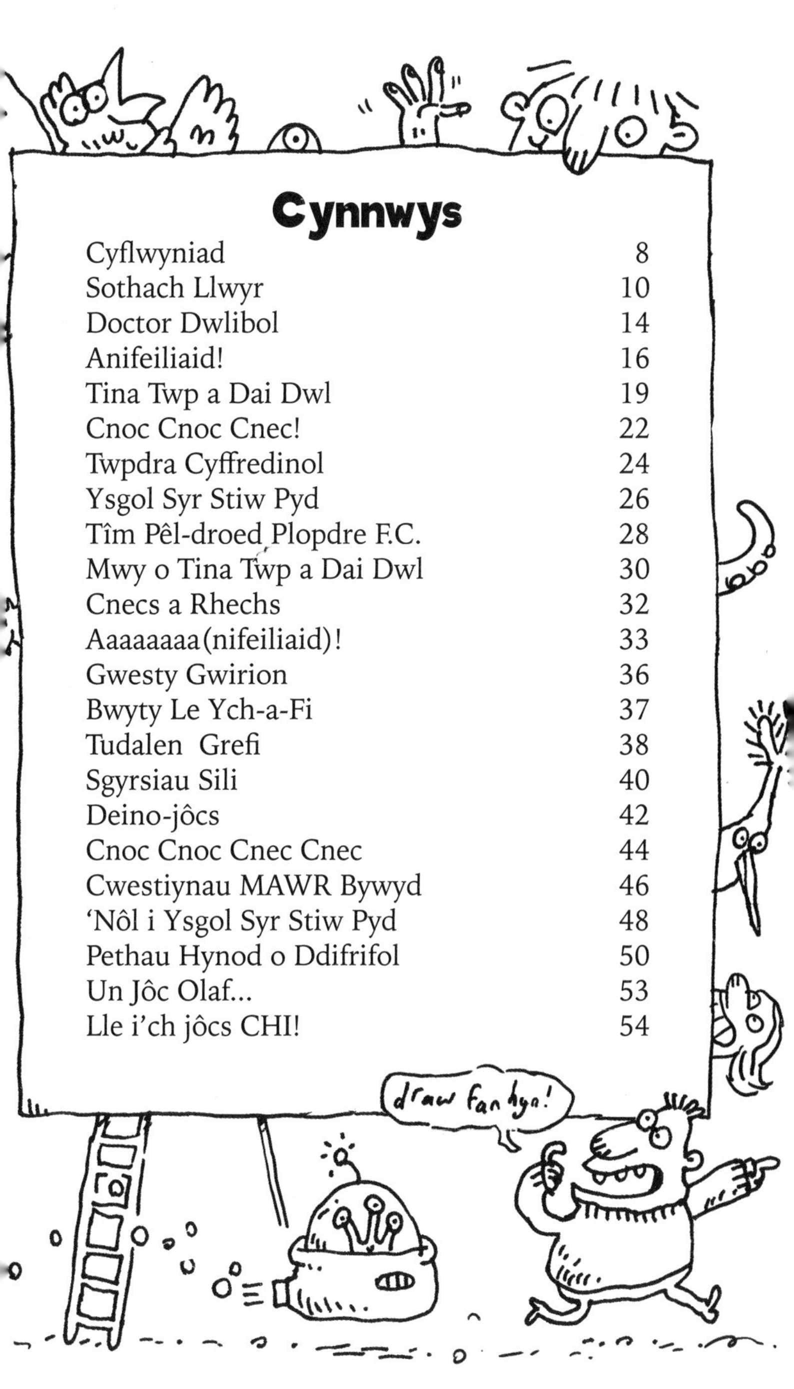

Cynnwys

Cyflwyniad

Mae 167,234,124,565,123 o lyfrau yn y byd. Neu falle mwy na hynny. Neu falle llai. Dim ots. Dyw'r rhif ddim yn bwysig.

Y peth PWYSIG i gofio yw, o'r llyfrau yma, hwn – ie HWN – yw'r un mwyaf pwysig ohonyn nhw i gyd. Felly bydd angen i chi ddarllen y llyfr yma drosodd a throsodd a throsodd nes eich bod chi'n gwybod pob gair.

Wedyn, dysgwch barot, neu gi, neu falwoden, i ddarllen fel bod nhw'n gallu adrodd y jôcs yma wrth bobl eraill wrth i chi fynd â nhw am dro.

WEDYN, tatŵiwch y llyfr dros gorff eich mam-gu, fel y gallwch chi ei ddarllen tra eich bod chi ar y traeth gyda hi.

AC WEDYN darllenwch rywbeth gwahanol, *weirdos*.

NODYN PWYSIG: Os ydych chi:

a) yn Gog, neu
b) yn Og, neu
c) ddim yn gwybod beth yw 'cnec', neu yn
ch) JEFFREY GIBBINGTON, neu
d) yr uchod i gyd,

'cnec' ydy rhechen. Pwmp. Ffarten. Gair

drwg, drwg sy’n disgrifio pan fydd NWY GWENWYNIG yn FFRWYDRO o’ch pen-ôl.

NODYN PWYSIG ARALL: Os ydych chi:

a) yn berson sydd erioed wedi chwerthin o’r blaen, neu’n
b) JEFFREY GIBBINGTON,

‘Ha Ha’ yw’r sŵn mae person yn ei wneud wrth chwerthin.

Ac felly, ‘HA HA CNEC’ yw’r sŵn glywch chi wrth i rywun ffeindio rhywbeth MOR DDONIOL, maen nhw’n chwerthin o’u ceg A’U pen-ôl ar yr un pryd.

Dyna, dwi’n gobeithio, fydd yn digwydd wrth i chi edrych ar y geiriau stiwpid a’r lluniau twp sydd yn y llyfr yma.

Ac os na ddaw ‘HA HA CNEC’, wel, mae ’na 167,234,124,565,122 o lyfrau eraill i’w darllen, does?

JOIWCH!

Sothach Llwyr

Beth sy'n wyn ac yn binc ac yn beryglus?
Brechdan ham gyda gwn.

Beth sy'n felyn ac yn
mynd i fyny ac i lawr?
Banana mewn lifft.

Pam y'n ni'n rhoi canhwyllau ar
ben cacen pen-blwydd?
Mae'n rhy anodd i'w rhoi nhw ar y
gwaelod.

Beth ddywedodd yr afal wrth yr oren?
Dim byd – dyw afalau ddim yn gallu siarad.

Beth mae pobl dew yn dweud i'w gilydd ar ddechrau'r dydd?
Bola Da!

Beth yw'r lliw mwyaf drewllyd?
Smelyn.

Beth wyt ti'n galw Ffrancwr mewn sandals?
Philippe Philoppe

Be ddwedodd y llygaid dde i'r llygad chwith?
Rhyngddon ni'n dau, ma rhywbeth yn arogli.

Beth sy'n mynd yn fwy gwlyb wrth sychu?
Tywel.

Beth sy'n tyfu'n fwy wrth i chi gymryd mwy i ffwrdd?
Twll.

Pam mae adar yn hedfan i'r de yn y gaeaf?
Am ei bod hi'n rhy bell i gerdded.

Sut mae drysu twpsyn?
36.

Doctor Dwlibol

Dyn: Doctor, dwi'n meddwl fy mod i'n gi.
Doctor: Mmm, dere i orwedd ar y soffa yma.
Dyn: Ond dydw i ddim yn cael dringo ar ben y dodrefn.

Dyn: Doctor, dwi'n anghofio popeth!
Doctor: Pryd wnest ti sylweddoli hwn'na?
Dyn: Sylweddoli beth?

Dyn: Doctor, doctor, dwi wedi torri fy mraich mewn tri lle.
Doctor: Wel, paid mynd i'r llefydd yna 'te.

Dyn: Doctor, doctor, dwi'n cael y teimlad bod pawb yn fy anwybyddu.
Doctor: Nesa, plis.

Dyn 1: Bore da, doctor.
Dyn 2: Bore da. Mae'n rhaid i chi ddechrau gwisgo sbectol.
Dyn 1: Sut allwch chi ddweud mor gyflym?
Dyn 2: Achos siop cigydd yw hwn.

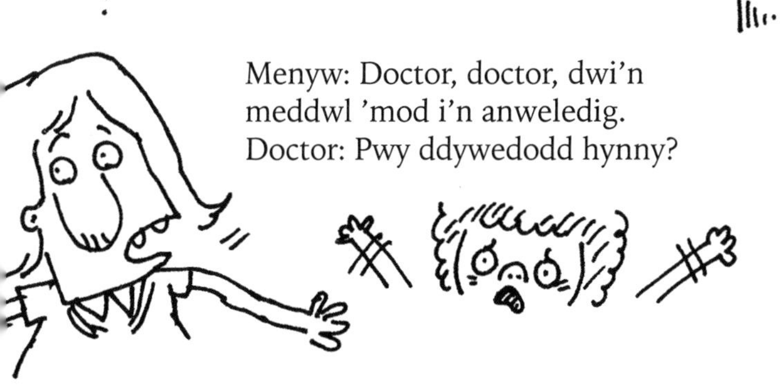

Menyw: Doctor, doctor, dwi'n meddwl 'mod i'n anweledig.
Doctor: Pwy ddywedodd hynny?

Dyn: Doctor, doctor! Dim ond 59 eiliad sydd gen i i fyw!
Doctor: Arhoswch funud, os gwelwch yn dda.

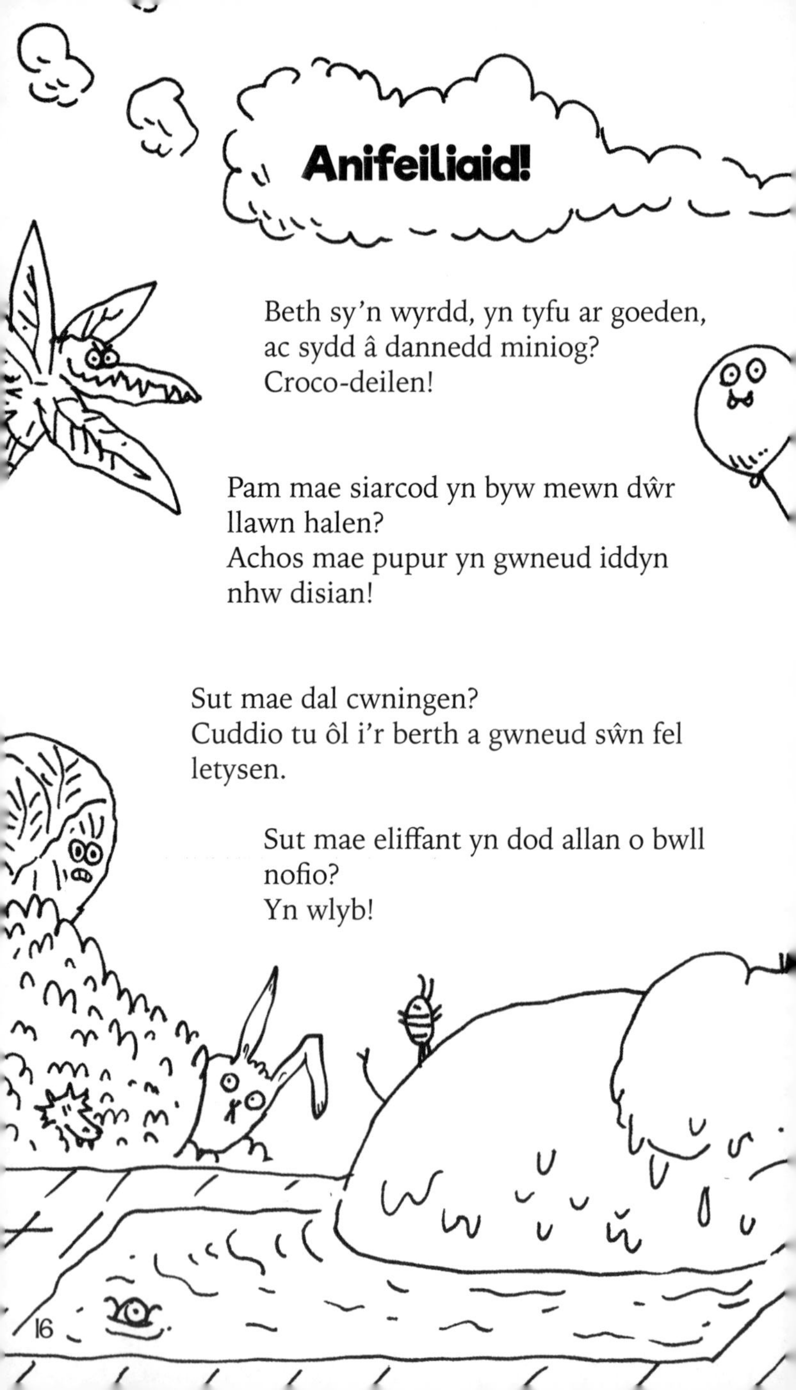

Anifeiliaid!

Beth sy'n wyrdd, yn tyfu ar goeden,
ac sydd â dannedd miniog?
Croco-deilen!

Pam mae siarcod yn byw mewn dŵr
llawn halen?
Achos mae pupur yn gwneud iddyn
nhw disian!

Sut mae dal cwningen?
Cuddio tu ôl i'r berth a gwneud sŵn fel
letysen.

Sut mae eliffant yn dod allan o bwll
nofio?
Yn wlyb!

Beth mae dy grwban di’n ei wneud
ar y draffordd?
Can milltir yr awr.

Pa anifail o Awstralia sydd ag annwyd?
Cang-ATSHŴ!

Pam mae neidr yn greadur mor
glyfar?
Does neb yn gallu tynnu ei choes!

Pam mae gwartheg yn brefu?
Am nad yden nhw’n gallu chwibanu.

Beth yw'r gwahaniaeth rhwng eliffant o India ac eliffant o Affrica?
Tua thair mil o filltiroedd.

Glywsoch chi am y ffarmwr fu farw oherwydd iddo gael gormod o laeth?
Disgynnodd buwch arno.

Beth yw'r ffordd hawsa i ddal pysgodyn?
Cael rhywun i daflu un atat ti.

Tina Twp a Dai Dwl

Tina: Dwi wedi colli fy nghath, sut alla i ffeindio hi?
Dai: Rho neges ar Facebook?
Tina: Paid â bod yn dwp. Dydy'r gath ddim yn defnyddio Facebook.

Dai: Mae'n rhaid bod pobl drws nesa yn dlawd iawn.
Tina: Pam?
Dai: Wnaethon nhw ffys enfawr pan lyncodd y babi ddarn punt.

Tina: Dwi'n gallu neidio'n uwch na mynydd.
Dai: Nag wyt ddim!
Tina: Ydw – dyw mynyddoedd ddim yn gallu neidio!

Tina: Dai, hoffet ti ddod am drip gyda fi rownd y byd?
Dai: Dim diolch – buasai'n well gen i fynd i rywle arall!

Tina: Oes gen ti gof da am wynebau?
Dai: Oes, pam?
Tina: Dwi newydd dorri dy ddrych di!

Tina: Dwi ’di newid fy meddwl.
Dai: Ydy e’n gweithio’n well na’r hen un?

Tina: Wyt ti wedi clywed am y ffŵl sy’n dweud ‘Naddo’ o hyd?
Dai: Naddo.
Tina: O, ti yw e, felly!

Cnoc Cnoc Cnec!

Cnoc cnoc
Pwy sy 'na?
Mei
Mei pwy?
Meindia dy fusnes!

Cnoc cnoc
Pwy sydd 'na?
Jim
Jim pwy?
Jim ots!

Cnoc cnoc!
Pwy sydd 'na?
Anwen
Anwen pwy?
An' wen ar iw gowin tw opyn ddy dôr?

Cnoc cnoc!
Pwy sydd ’na?
Beti
Beti pwy?
Be ti’n neud yn fyn’na?

Cnoc Cnoc!
Pwy sydd ’na?
Tina
Tina pwy?
Ti’n afiach!

Cnoc Cnoc!
Pwy sydd ’na?
Ned
Ned pwy?
Nedolig llawen!

Twpdra Cyffredinol

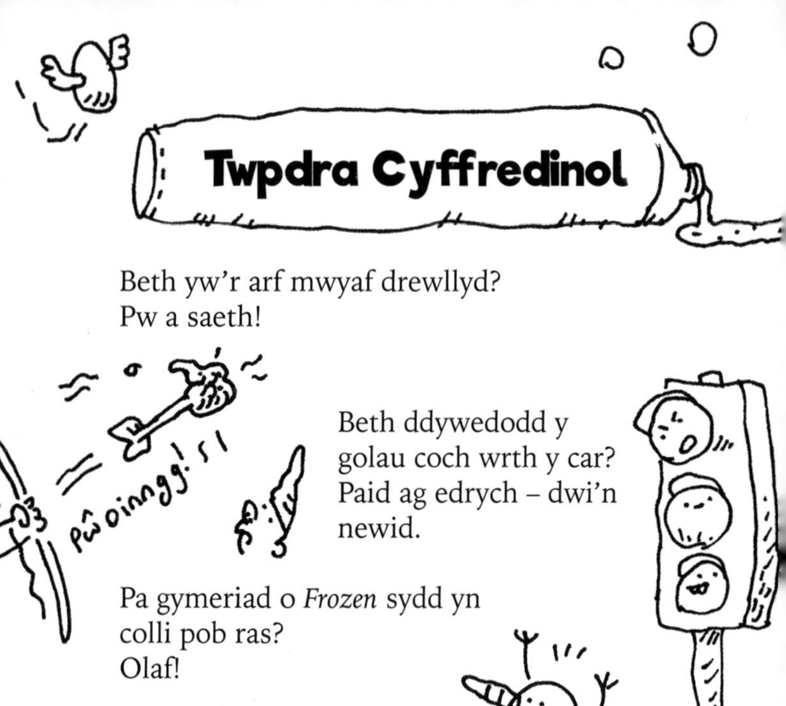

Beth yw'r arf mwyaf drewllyd?
Pw a saeth!

Beth ddywedodd y golau coch wrth y car?
Paid ag edrych – dwi'n newid.

Pa gymeriad o *Frozen* sydd yn colli pob ras?
Olaf!

Beth sy'n hir, yn felyn ac yn gwisgo sbectol haul?
Banana ar ei wyliau.

Beth sy'n rhedeg heb goesau?
Dŵr!

Beth sy'n wyn a ddim yn gallu neidio?
Ffrij.

Beth yw llosgfynydd?
Mynydd yn igian.

Sut allwch chi nofio milltir mewn ychydig o eiliadau?
Cwympo dros y *Niagra Falls!*

Ysgol Syr Stiw Pyd

Athro: Ble mae Cadair idris?
Plentyn: O dan ei ddesg, syr.

Athro: Rhowch enw pump peth sy'n cynnwys llaeth.
Plentyn: Caws, menyn a thair buwch.

Athro: Cywirwch y frawddeg hon: 'Mae fi wedi torri'r ffenest.'
Plentyn: 'Mae fi heb torri'r ffenest!'

Beth wyt ti'n galw athro efo gwlân cotwm yn ei glustiau?
Unrhyw beth wyt ti eisiau!

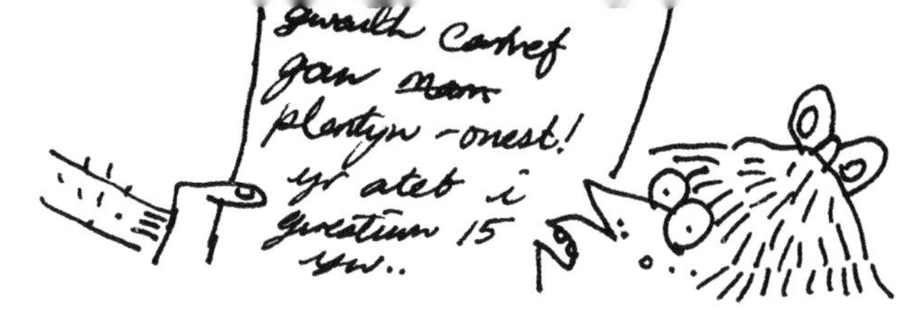

Athro: Mae'r llawysgrifen yn dy waith cartre'n debyg i lawysgrifen dy fam.
Plentyn: Ydi – mi wnes i fenthyg ei phensil hi!

Athro: Pwy dorrodd y ffenest?
Plentyn: Gareth wnaeth. Wnaeth e symud pan daflais i garreg ato.

Plentyn: Bydde'n well 'da fi petawn i'n byw cannoedd o flynyddoedd yn ôl.
Athro hanes: Pam?
Plentyn: Achos byddai llai o hanes i'w ddysgu!

Tîm Pêl-droed Plopdre F.C.

Beth ddywedodd y reffarî ar ôl i'r chwaraewr pêl-droed dynnu ei siorts yn y cwrt cosbi?
Pen-ôl ti! (Penalti)

Sut wnaeth y cae pêl-droed droi'n siâp triongl?
Cymerodd rhywun gornel!

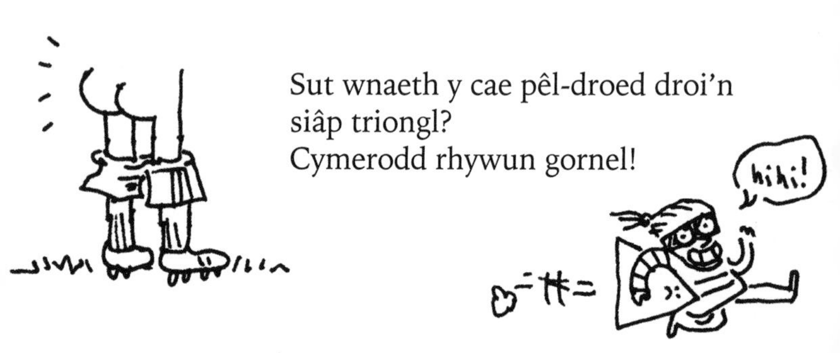

Pwy sy'n chwarae pan mae'n gweithio, ac yn gweithio pan mae'n chwarae?
Pêl-droediwr!

Beth sy'n digwydd i bêl-droedwyr sy'n colli eu golwg?
Maen nhw'n troi'n reffarîs!

Pam mae asgellwyr yn cario hances?
Maen nhw wastad yn driblo!

Beth yw hoff flas hufen iâ
ffans pêl-droed?
Aston Vanilla

Beth oedd enw'r chwaraewr pêl-droed a ddaeth
yn arlywydd America?
Donaldo!

Mwy o Tina Twp a Dai Dwl

Tina: I bwy ti'n sgwennu'r llythyr yna?
Dai: I fi fy hun.
Tina: Be mae'r llythyr yn ei ddweud?
Dai: Dwi ddim yn gwybod – dwi heb ei dderbyn eto!

Tina: Hei, pam bod yna sosej y tu ôl i dy glust?
Dai: Sosej?
Tina: Ie – sosej.
Dai: O na! Mae'n rhaid 'mod i wedi bwyta fy mhensel i frecwast!

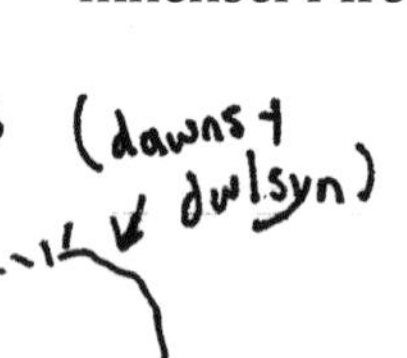

Dai: Pam wyt ti'n crio, Tina?
Tina: Wnaeth Bili Bwt dorri fy mat criced i!
Dai: O, sut wnaeth e hynny?
Tina: Wnes i daro Bili ar ei ben â'r bat!

Plismon: Beth yw dy enw?
Dai: Dai Dwl.
Plismon: Dylet ti ddweud 'Syr' wrth siarad gyda Plismon. Nawr 'te, beth yw dy enw?
Dai: Syr Dai Dwl.

Tina: Mae fy nhraed yn oer yn y gwely bob nos.
Dai: Pam na ddefnyddi di botel dŵr poeth?
Tina: Wnes i drio, ond ro'n i'n methu cael fy nhraed i mewn trwy'r twll.

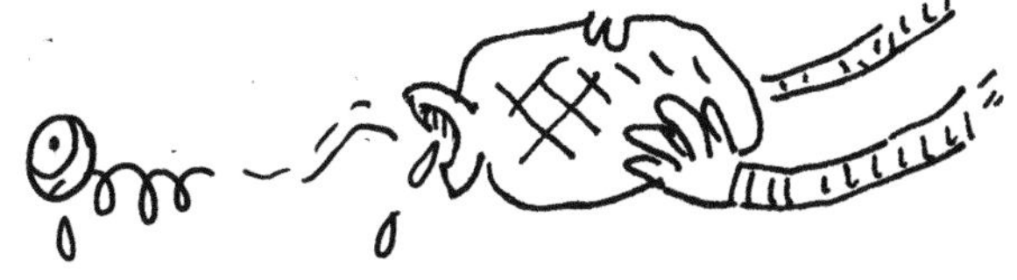

Tina: O mae'r sgidiau yma'n brifo.
Dai: Dim syndod – maen nhw ar y traed anghywir!
Tina: Ond dyma'r unig draed sydd gen i!

Cnecs a Rhechs

Be gei di os wnei di fwydo ffa pob i geiliog?
Rhech yr ieir.

Beth yw enw'r salwch sy'n rhoi
smotiau a gwynt i chi?
Y rhech goch.

Pa gêm sy'n drewi?
Cnec-*four*.

Beth gei di wrth roi sbrowts
rhwng dau ddarn o fara?
Rhechdan.

Pa aderyn yw'r mwyaf drewllyd?
Cnecell y coed.

Aaaaaaa(nifeiliaid)!
Beth sy'n neidio allan o doiledau Awstralia?
Canga-pw!
g'day mate!
Beth mae siarcod yn ei fwyta
gyda hufen iâ?
Pysgod jeli!
Pam oedd y fflamingo'n sefyll ar un goes?
Os godai'r llall, bydde fe'n cwympo i'r llawr!
Ble wyt ti'n ffeindio buwch heb
goesau?
Yn union ble wnest ti ei gadael hi.
fflam ingo!
mŵŵŵŵŵ!

Beth sy'n anweledig ac yn arogli fel banana?
Cnec gorila!

Ble mae'r pry copyn y cysgu?
Mewn gwe-ly!

Beth yw hoff ddiwrnod cathod?
Dydd Miawrth!

Pa fath o bysgod sydd methu nofio?
Rhai sydd wedi marw.

Sut mae eliffant yn dod i lawr o’r goeden?
Mae’n eistedd ar ddeilen ac yn aros tan yr hydref.

Beth sy’n ddu a gwyn ac yn beryglus iawn?
Sebra gyda cleddyf samurai.

Beth yw’r gwahaniaeth rhwng eliffant a siwgr?
Fedrwch chi ddim arllwys eliffant i’ch coffi.

Merch: Oes gennych chi ddŵr twym a dŵr oer yn y gwesty yma?
Rheolwr: Oes! Dŵr twym yn yr haf a dŵr oer yn y gaeaf!

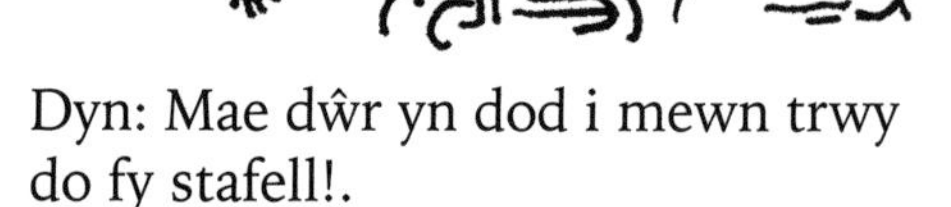

Dyn: Mae dŵr yn dod i mewn trwy do fy stafell!.
Perchennog: Wel, dim ond £10 y noson rwyt ti'n talu, beth wyt ti'n disgwyl – lemonêd?

Dyn: Mae'r stafell yma'n iawn, ond mae hi braidd yn fach.
Perchennog: Hwn yw'r lifft, syr.

Bwyty Le Ych-a-Fi

Cwsmer: Ga i fwrdd i ginio heno, os gwelwch yn dda.
Gweinydd: Sut hoffech chi'ch bwrdd, syr – wedi'i ferwi neu wedi'i ffrio?

Cwsmer: Gweinydd, mae'r plât yma'n wlyb!
Gweinydd: Cawl ydy hwn'na, syr.

Gweinydd: Dyma eich pizza. Hoffech chi i fi ei dorri i bedwar neu chwech darn?
Cwsmer: Pedwar plis, fedra i byth fwyta chwech.

Tudalen Grefi

hwrê!
sosej!

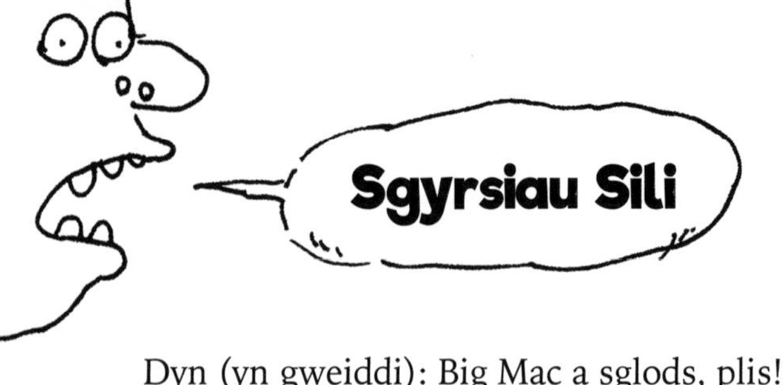

Dyn (yn gweiddi): Big Mac a sglods, plis!
Menyw: Llyfrgell yw hwn.
Dyn (yn sibrwd): Sori. Big Mac a sglods, plis!

Dynes: Dwi wedi bod yn gweld smotiau o flaen fy llygaid ers dyddiau.
Ffrind: Welaist ti'r meddyg?
Dynes: Naddo. Dim ond smotiau.

Dyn: Excuse me, what is 'carrot' in Welsh?
Merch: Moron.
Dyn: How dare you insult me! What is it really?
Merch: Dwi'n dwpsyn.
Dyn: Thank you.

hei!

Jeffrey!

balŵn!

Dyn yn ffonio 999: Mae'n rhaid i chi fy helpu! Mae fy ngwraig yn cael babi!
Person ar y ffôn: Paid â phoeni. Ai ei phlentyn cyntaf yw hwn?
Dyn: Na! Ei gŵr hi!

Merch, i'w mam: 'Mae 'nghariad newydd yn dweud wrth bawb fod e'n mynd i briodi'r ferch fwyaf prydferth yn y byd.'
Mam: 'O, dyna biti – ro'n i'n meddwl ei fod e'n dy hoffi di.'

Tina: Mae fy ffrindiau yn meddwl 'mod i'n rhyfedd am 'mod i'n hoffi crempogau.
Dai: Paid â gwrando arnyn nhw. Rwy'n hoffi crempogau hefyd.
Tina: Wir? Hoffech chi weld fy nghasgliad i? Mae gen i gannoedd.

Pam oedd y Tyranosawrws yn bwyta cig amrwd?
Roedd ei ffwrn wedi torri.

Pa ddeinosor oedd yn hoffi rygbi?
Tyranosawrws Rycs.

Pa ddeinosor oedd byth yn golchi?
Brwntosawrws.

Beth sydd â chynffon hir, tri chorn mawr, a dau olwyn?
Triseratops ar sgwter.

Pam fod gwddf hir gan y brachiosawrws?
Oherwydd bod ei ben mor bell o'i gorff.

Pa ddeinosor oedd yn
drewi?
Trisera-plops.

Pa ddeinosor oedd yn
drewi'n waeth?
Tyranosawrws Cnecs.

Pa ddeinosor oedd yn
drewi'n waeth fyth?
Pterana-dom.

Cnoc Cnoc Cnec Cnec

Cnoc cnoc!
Pwy sydd 'na?
Jac.
Jac pwy?
JACIWLA!

Cnoc cnoc!
Pwy sydd 'na?
Huw
Huwdidwdidŵ?

Cnoc cnoc!
Pwy sydd 'na?
Chloe.
Chloe pwy?
Cnoc cnoc!
Pwy sydd 'na?
Chloe.
Chloe pwy?
Glywaist ti ddim y tro cyntaf?

helô?
cnoc cnoc!

Cnoc Cnoc!
Pwy sydd ’na?
Rhys.
Rhys p—
RHY SLOW!

Cnoc Cnoc
Pwy sydd ’na?
Y fuwch sy’n torri ar draws
Y fuwch sy’n —
MŴŴŴŴŴŴŴŴŴ!

Cwestiynau MAWR Bywyd

Sut allwch chi gadw llaeth rhag troi'n sur?
Ei gadw yn y fuwch.

Beth sydd byth yn gofyn cwestiwn ond mae'n rhaid i chi ei ateb?
Y ffôn!

Sut wyt ti'n gwybod bod moron yn dda i'ch llygaid?
Wyt ti erioed wedi gweld cwningen yn gwisgo sbectol?

Pam wnaeth y wrach hedfan ar ysgub?
Achos doedd weiren yr hwfer ddim yn ddigon hir.

Beth mae pobydd yn ei
ddweud amser brecwast?
Bara da!

Beth wyt ti'n galw ffwrn sydd heb
ei lanhau ers amser hir?
Popty Pong

Higlpigl fflwpiti fflopstic.
Beth yw hynny yn Gymraeg?
Mêl! (honey!)

Beth yw'r peth gorau i'w
roi mewn pei?
Eich dannedd!

Athro: Wnaeth dy dad dy helpu gyda'r gwaith cartre yma?
Plentyn: Naddo, syr. Dad wnaeth y cyfan!

Plentyn: Syr, fyddech chi'n cosbi rhywun am rywbeth wnaethon nhw ddim ei wneud?
Athro: Wrth gwrs ddim.
Plentyn: Grêt, achos wnes i ddim fy ngwaith cartre!

Athro: Os oedd gen ti bump siocled a gofynnodd dy frawd bach am un, sawl un fydd gyda ti'n weddill?
Plentyn: Pump.

Dad: Wyt ti eisiau help gyda dy waith cartre?
Plentyn: Dim diolch – mae'n well gen i ei gael e'n anghywir ar ben fy hun.

Dad: Beth wnest ti ddysgu yn yr ysgol heddiw?
Mab: Sut i ysgrifennu.
Mam: A beth wnest ti ysgrifennu?
Mab: Dwi ddim yn gwybod – dydyn nhw ddim wedi'n dysgu ni sut i ddarllen eto.

Athro: Rhag dy gywilydd yn torri gwynt o flaen y Pennaeth!
Plentyn: Ddrwg gen i, doeddwn i ddim yn gwybod taw ei thro hi oedd e.

Pethau Hynod o Ddifrifol

Be gei di os oes rhywun yn dy daro dros dy ben gyda thorth o fara?
Pen tost!

Ble mae hen neiniau'n cael eu cadw?
Mewn Mamgueddfa!

Pa ddydd o'r flwyddyn sy'n arogli waethaf?
Dydd Gŵyl Drewi!

Pa raff sy'n ddiangen?
Gwast-raff!

Ble yn y byd ewch chi i rasio ceir yn yr haf?
AWST-RALI-ia!

Merch: Ydy'ch *hearing aid* newydd chi'n gweithio, Taid?
Taid: Hanner awr wedi saith.

Beth ddwedodd y cwch wrth ei ffrind ar ddiwrnod ei ben-blwydd?
LLONG-gyfarchiadau!

Pam mae pobl dal yn ddiog iawn?
Am eu bod nhw'n gorwedd yn hir yn y gwely.

Pa ddant sydd byth yn cnoi?
Dant y llew.

Beth sy'n mynd MŴŴŴŴŴŴŴŴSBLAT?
Buwch yn neidio mas o awyren.

Beth sy'n goch ac mae ganddo
gannoedd ar filoedd o ddwylo?
Tomato – celwydd oedd y dwylo.

Lle i'ch jôcs CHI!

AAAAA! JÔCS!

wwww!

Ar gael yn fuan, gan Huw Aaron a Llyfrau Broga:

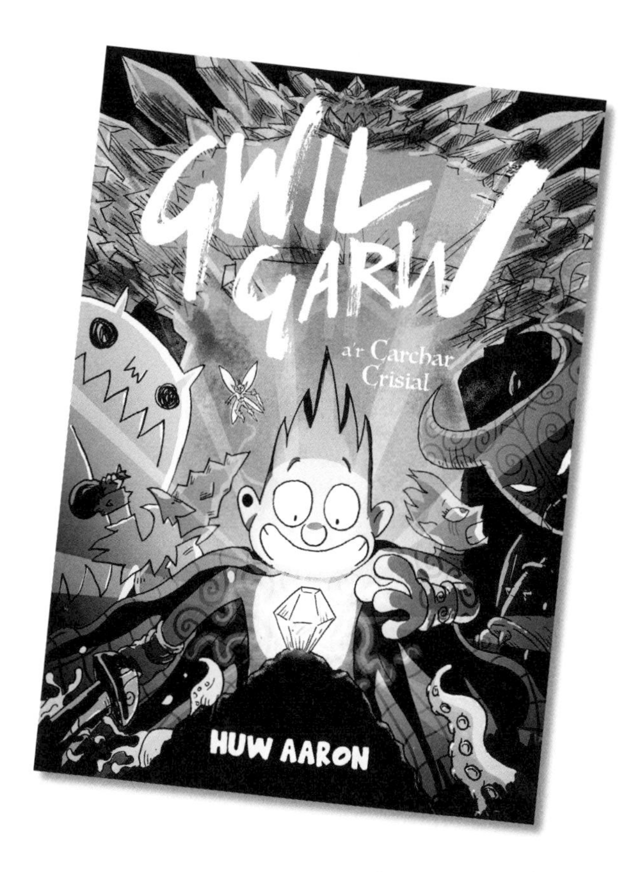

Gwil Garw a'r Carchar Crisial

Dewch i ddarllen antur cyfan y ryfelwr gwyllt o Oes y Celtiaid – Gwil Garw! Hiwmor, brwydro, cyffro ac angenfilod anhygoel – i gyd ar ffurf comic hawdd i'w ddarllen.

Addas i oed 7-12, £6.99. Yn y siopau mis Mai 2021.

Ble mae

Hefyd gan Huw Aaron:

Ble Mae Boc? £4.99

Ble Mae Boc? Ar Goll yn y Chwedlau £4.99

Llyfr Hwyl y LOLfa £4.50

Mwy o Jôcs y LOLfa £4.50

Ar eich marciau, barod, darllenwch!

Dewch yn llu, ffrindiau,

Iddathlu darllen gyda ni.

Wrth i ni droi at lyfrau a straeon i'w

Rhannu, gallwn fentro i fydoedd

Newydd, cyffrous, a chwedlau o bob math.

Oeddech chi'n gwybod mai elusen y'n ni, sy'n hybu a

Dathlu darllen er pleser i bawb ym mhobman –

Yn y gwely, yn y bath neu wrth aros am y bws!

Llyfrwerthwyr, awduron, darlunwyr, cyhoeddwyr,

Llyfrgellwyr, darllenwyr ac

Ysgolion ledled y wlad – diolch i chi, ein

Ffrindiau! Nawr, beth am …

Rannu stori gyda ni!

Newid bywydau trwy gariad at lyfrau a rhannu darllen.

Mae Diwrnod y Llyfr yn elusen gofrestredig a ariennir gan gyhoeddwyr a llyfrwerthwyr yn y DU ac Iwerddon. Mae Llywodraeth Cymru yn cefnogi'r ymgyrch yng Nghymru.

Darluniau / Illustration © Rob Biddulph

NODDIR GAN / SPONSORED BY

DIWRNOD Y LLYFR WORLD BOOK DAY

O fore gwyn tan nos, mae 'na ddigonedd o amser i ddarganfod a rhannu straeon gyda'ch gilydd. Gallwch chi . . .

1 FYND AM DRIP i'ch SIOP LYFRAU LEOL

Mae'n orlawn o lyfrau gwych a llyfrwerthwyr gwybodus i argymell llyfrau o bob lliw a llun. Gallwch hefyd fwynhau digwyddiadau yng nghwmni'ch hoff awduron a darlunwyr.

DEWCH O HYD I'CH SIOP LYFRAU LEOL:
booksellers.org.uk/bookshopsearch

2 YMUNO â'ch LLYFRGELL LEOL

Mae yma ddewis anferthol o lyfrau hudolus – a gallwch eu benthyg yn rhad ac am ddim! Cewch gyngor arbenigol yma a digwyddiadau darllen hwylus i'r teulu oll.

DEWCH O HYD I'CH LLYFRGELL LEOL:
gov.uk/local-library-services/

3 EDRYCH ar WEFAN DIWRNOD Y LLYFR

Chwilio am awgrymiadau darllen, cyngor ac ysbrydoliaeth? Mae cymaint i'w ddarganfod ar wefan **worldbookday.com** – gweithgareddau hwyliog, gemau, lawrlwythiadau, podlediadau, fideos, cystadlaethau a'r holl lyfrau newydd diweddaraf.

Mae Diwrnod y Llyfr yn elusen sy'n cael ei hariannu gan gyhoeddwyr a llyfrwerthwyr yn y DU ac Iwerddon. Mae Llywodraeth Cymru yn cefnogi'r ymgyrch yng Nghymru.

triongl!
abwydyn!
caribŵ!
pengwin!
Josgette!
Shlompff!

BROGA